도라에몽 [11]　목차

후지코 I
FUJIKO·

만약에 상자

진구 연은
어느 거니?

어머, 전부
높이들 떴네.

에게?

에잇,
멍텅구리 같은 연!

역시 난 애들 같은
놀이는 싫어.

난 여자애들 놀이가 제일 좋더라!

그럼 배드민턴 할까?

지면 먹칠하는 거 없기다.

싫어! 칠할 거야.

쳇, 설날이면 왜 쓸데없는 놀이를 하고 그럴까.

어서 와.

반창고랑 세수물 준비해 뒀어.

어떻게 알았나?

매년 있는 일이잖아.

아아, 연날리기랑 배드민턴 없는 세상에서 살고 싶어.

가 볼래?

?

만약에 상자.

일종의 실험실이야.
'만약 이런 일이
생긴다면…'
어떻게 될까를
보여 주는 거야.

연날리기랑
배드민턴이 없는
세계를 부탁해.

이제 된
거야?

별로 달라진 것도
없구만….

하늘을 보셔.
연들이 흔적도 없잖아.

따분해.

설날에 할만한
애들 놀이는 없을까?

8

왜 연날리기 안하니?

연날리기가 뭔데?

너 문어 대가리 아냐?

정말 모르냐? 본 적도 없어?

도라에몽. 멋진 연을 줘봐.

치, 그럼 이 세계로 온 의미가 없잖아.

아무도 해본 적이 없다잖냐.

분명히 내가 제일 잘할 거라구.

짜잔. 이게 연이야!

우와!

재미 있겠다.

나도 갖고 싶어.

도라에몽 하나씩 줘버려.

진구가?

발명했다고?

봐, 모두 날 존경하잖아.

방법은 간단해.

잘 봐.

그렇게 끌고 다니면 되는 거야?

그, 그래.

연끌기 대회 하자.

누가 누가 제일 잘 끄나.

가냐?

실은 난 저렇게 단순한 놀이는 싫어.

그렇지, 도라에몽. 배드민턴을 줘.

이 채로 공을 주고 받는 거야. 지는 사람이 먹칠을 당해야 해.

해 볼래?

그게 뭐야?

새로운 놀이니?

진구가 생각해 낸 거라고?

우리도 가르쳐 주렴.

인기 캡이네.

내가 잘 할 수 있을까?

가슴이 두근두근 하는걸.

걱정 마. 내 말대로만 하면,

금방 될 거야.

이건 누가 이긴 거야?

되받아 치면 안 돼.

재빨리 피해서 땅에 떨어뜨리는 거야.

어려운걸.

내 차례야.

떨어뜨리려고 해도 공이 오면,

그만 치고 마는걸.

역시 진구한테는 못 당하겠어.

으~. 자존심 상해. 되는 일이 없네.

진구야.

자꾸만 연이 하늘로 올라가 버리는데 어쩌지?

로봇 종이

물건 사러 금방 버스 타고 갔는걸.

그만 두자.

싫어, 버스를 쫓아갈 거야.

버스야, 게 섯거라!

몇번을 저야 속이 시원하나.

못하는 게 꼭 덤벼.

귀찮으니까 한꺼번에 덤벼.

까불고 있어!

준비.

시작!

얄미운 손님 내쫓기

야, 근데 저 할아버지 누구냐?

몰라. 처음 보는걸.

자네 집은 조용해서 정말 좋구만.

우리집은 바늘방석이야, 허허허.

사장이 되면 말야, 연말에 인사하러 오는 사람들로 북적거려서, 넌덜머리가 난다니까.

그래서 이리로 도망왔지, 하하하.

여보 잠깐….

사장님은 언제까지 계신데요?

2·3일 정도만 봐줘.

예엣?!

가시라고 하자!

그러지 마!

내 입장도 생각해주라.

잘 달래서 빨리 보낼게, 응?!

배부르고 등 따땃하니 한숨 자볼까.

24

뭐, 뭐야?

몸이 저절로….

얼라리요.

절대로 안 가!!

이불을 뒤집어 썼어.

볼륨을 올리자.

앗, 벌써 가시려구요?

가고 싶지 않아, 잉.

더 크게 해.

26

여보, 어디 가는 거야?

갑자기 친정에 가고 싶어서 못 견디겠어요….

오르골을 꺼, 빨랑!

찰 칵

뚱딴!

부인, 화장실이 어디죠?

히얏—.

똑 똑

똑 똑

'메아리 락카'를 뿌렸지롱.

아무도 없어도 메리가 돌아오게 돼.

싸겠어!

공원에도 화장실이 있는데요.

가실려구요? 조심해 가세요.

아뇨. 화장실 갑니다.

만세. 드디어 나갔다!

그치만 곧 돌아오잖아.

그렇게는 못하지.

공간 꼬기 테이프.

이 테이프를 앞뒤없이 만들어 볼래?

내가 마술사냐?!

한바퀴 꼬아서
붙인 다음,

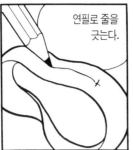

연필로 줄을
긋는다.

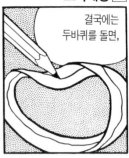

결국에는
두바퀴를 돌면,

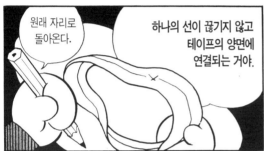

원래 자리로
돌아온다.

하나의 선이 끊기지 않고
테이프의 양면에
연결되는 거야.

즉 앞뒤가 없어진다,
이거지.

그게 어쨌다고?

이걸 문에
붙이면 땡.

잉?

29

분명히… 안으로 들어왔는데….

한발로 성큼…. 문을 열고…,

오잉!

울랄라?!

오나가나 바깥이잖아!

공간이 뒤엉켜서 바깥끼리 연결된 거야.

발바닥에 땀나도록 왔다리 갔다리 하네.

하아— 하아—.

졌다.

킥킥. 기겁을 해서 가버렸어.

안심하고 자볼까.

산책

…

왜 안 떨어지지?

어머머. 웬일이니.

구름 속으로 숨어버렸어.

물어주면 될 거 아냐.

특별히 만든 연이라 팔지도 않아!

진구가 나빴어.

그래, 네가 책임지고 찾아 줘.

내가 새냐! 구름 위에 가서 찾아오라니.

도라에몽.

나 어떡하냐, 응.

구름 속으로 가면 되잖아.

?

그 공으로 구름 속에 갈 수 있단 말야?

물통 속에 그걸 넣어봐.

그럼 되는 거지.

34

봐, 뜨잖아.

뜨니까 하늘로 올라갈 수 있는 거야?

자, 문제. 공이 왜 물에 뜰까요?

지금 퀴즈하고 놀 때냐?

화내지 말고.

대답이나 해.

그건…,

공이 물보다 가볍기 때문이지.

정답.

그럼 인간이 하늘로 뜨려면 어떻게 해야 할까?

'둥실둥실 약'을 씹어.

이걸 씹으면 몸 안에 가스가 생겨서 공기보다 가벼워져.

정말?

몸이 둥둥 뜨는 것 같아.

새처럼 날개 짓을 해봐.

이렇게?

살살 날아야지.
위험해.

내가 원수를 갚아줄게.

우오오오!

진구〜!
각오해라!!

연이 없어진 게 이 근처야.

구름 속으로 들어가 보자.

연아~.

찾았어. 풍선에 엉켜 있었어.

앗, 애들도 왔네.

앗, 저것들이
나만 쏙 빼놓고!

아항.
요거로구만.

살려줘.

멈출
수가
없어!

까울~!
이게 뭐야!!

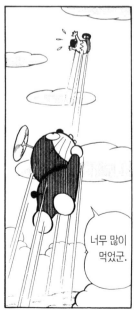

너무 많이
먹었군.

늑대인간 크림

좀 읽자구나.

어떠니.

보지 마세요.

내가 무서운 것.

얼마 전에 TV에서 늑대인간을 보았다.

보름달을 보면 늑대로 변해버리는 것이었다.

우우.

우우.

시시하다, 얘.

그만 주세요.

하지만 그보다 더 무서운 것은… 어머?!

화가 난 엄마의
얼굴이다.

헉, 바로
저 얼굴.

아예 신문에
내라!

생각한 걸 솔직하게
썼을 뿐인데.

도라에몽,
네 생각은 어때?

아무리 그래도
늑대인간이 더 무섭지.

아냐.
난 엄마야.

비교해 보자.

엣.

늑대인간
크림.

까울.

그, 그 크림을 발랐어요?

어머. 그러고 보니 못 보던 거네.

괜찮겠지, 뭐.

나갔다 올게.

밖에서 둥근 것을 보면 어쩌지?

난리났네.

난 몰라.

헤헤.

따라와도 먹을 거 안 생겨.

제발 데려가 줘요.

바로 이 집이야.

휴~, 무사히 도착했군.

실례합니다.

누구세요?

어머.

잠깐만요.

48

동그란 건 죄다 치워야 해요.

빨리 가지 못해!

걱정된다.

앗, 커피군요.

잠시 검사를….

쟁반이랑 찻잔은 네모난 것을 쓰세요.

이런, 하필이면 과자도 둥글잖아!

기어코 쫓겨나 버렸어.

어쩌지…?!

내 얼굴을 보더니 기절했어.

왜 그러지??

의사를 불러야 해.

큰일났네.

하아, 피곤해.

깜깜해졌어.

돈 내놔.

강도가 기겁을 하고 도망갔어.

내가 그렇게 무섭게 생겼나?

까악.

나사를 조이는 영차!

아, 배불러.

진구 넌 아직도 먹고 있냐, 둔탱이.

드디어 다 먹었다.

자, 놀아볼까.

오늘도 또 종쳤네.

자, 다음 문제.

진구가 해보렴.

그러니까… 아….

아직도 못 풀었냐? 속터져.

집까지 달리기
하자.

좋아.

히익 하아.
후아.

숙제 다 해놓고
놀러가렴.

얍, 후다닥
해치워야지.

야구하자.

아직도
하고 있나?

숙제도
조금인데.

그렇게
느려서
야….

먼저 가
있을게.

어째서, 왜─
난 느릴까.

스피드 나사로
감아줄게.

싫어.
기분 나빠.

괜찮다니까.

아빠한테
시험해 보자.

굉장한 속도로
움직이게 돼.

아니, 왜 이런 데서 자고 있어요?!

킥킥.
야, 간지러워.

얏호.
벌써 다 했어!

놀러 가자.

같이 가!

안 오는 게 도와주는 건데.

지고 있단 말야.

굼벵이가 들어오면 끝장이야.

그러지 말고 끼워주라.

나사를 꽉 조이자.

저 녀석은 쳐 봤자 아웃이야.

스트라이크.

으이그.

가볍게 맞추기만 해.

간다!

헤헤. 웬 굴러온 공.

명검 전광환

약속 시간이 벌써 지났는데,

무장은 왜 안 오는 거야!

감히 이 몸을 기다리게 하다니…,

간덩이가 부었군.

늦었군, 무장!

미안허이.

저기 온다.

비검을
받아라!

무장의 솜씨는
굉장했다.

내가 제일
존경하는
인물이야.

그래서 검도를 배우기로 한 거야?

오냐.

얍, 얍 아자!

살떨려…

퉁퉁인 뭐든 배우기만 하면 시험해 보려고 든단 말야.

잘못 걸리면 초상 치겠어.

야, 친구야!

내가 얘기하는데 빠져 나가다니. 못된 놈.

급한 일이….

내 기분을 망쳤어.

결투다!

시간은 오후 4시. 장소는 공터야.

애들 앞에서 쌍코피 터지게 맞을 거야.

걱정하지 마.

명검 전광환

레이다가 달려 있어서,

공격해 오는 적의 움직임을 미리 알고 자동적으로 치게 돼있어.

그것만 있으면 이길 수 있어.

정말 괜찮을까?

야아 아아

꽁무니에는 선수구만.

이 칼만 있으면 괜찮다니까.

용기만 있으면 돼!

나한테 용기가 있으면 이 꼴이겠냐!

얼만큼 잘못 왔는데?

글쎄, 한 10년 정도….

고약한 놈!

그건 오해이옵니다. 부디 용서를.

분명히 내 얼굴을 보고 웃었겠다!

아이고, 그럴 리가요….

푸풋. 진짜 웃기게 생겼네.

낄낄

죽일꺼!

너 나 아냐?

도라에몽. 끄더얏

쿠당

제발
살려줘요~.

야, 정신차려.
네가 이겼어.

정말 내가 쓰러뜨린
거야?

진짜
멋졌어.

자신을
가져.

저 돼지에 비하면
퉁퉁이야,

우습지 뭐~.

돌아
가자.

부탁이 있어.

부디 날 제자로….

무슨 소리. 우린 돌아가야 해.

난 제일의 무사가 되기 위해 무술을 연마하고 있는데,

천성이 약해서… 목검 시합이라면 자신 있지만.

진짜 칼만 보면 겁을 먹는단 말이에요.

늘 바보취급만 당하고, 무술을 포기할까 생각했습니다.

그래서 당신처럼 강한 스승 밑에서 꼭 배워보고 싶어요.

난 하나도 안 강해요.

퉁퉁이가 기다릴 거야. 신경끄고 가자.

따라오네!

제자로 삼아줄 때까지
쫓아갈 겁니다.

이런 식으로 다리힘을
기르다니,

역시
고수다워.

오호라!
일부러 넘어져서 고통을
참아내는 수행이군.

험난해.

강해지기 위한
수행은….

쥐새끼 같은 놈,
기필코 혼쭐을
내줄 테다!

이 정도면 밀리진
않을 거야.

멀리는 못 갔을 거야.
찾아보자.

약속시간이 훨씬 지났는데 안 오다니,

진구 녀석, 누구 인내심 테스트 하나.

으~, 추워.

가만히 안 둘 테다.

뼈마디도 못 추릴걸.

에 취 ㅣ.

스승님! 어깨를 두들겨 드릴까요?

뭐든 분부만 내리소서.

빼도 박도 못 하겠군. 차라리 솔직하게 불자.

사실대로 고백하면….

아까 이긴 건 그 칼의 힘 덕분이야.

이 칼?

설마 그럴 리가.

하하하 스승님은 농담도
잘하시는군요.

저기 있다!

타다다

놓치지 마!

스승님, 혼자만
내빼시다니!

삐삐삐

호오.
혼자서 오네.

겁을
상실했군.

난 가기 싫어!

우, 우째 이런 일이.

너 혼자서 한 거야.

정말이라니까.

자신이 생겼어!

잘됐어.

은혜는 잊지 않겠어요.

앞으로도 열심히 수련해서 강해지겠습니다.

늦었습니다만,

전 무장이라고 합니다.

그럼 안녕히.

끄악!

71

자신을 갖는다는 건 중요한 거야.

무장도 처음에는 약했구나.

망했다.

전광환을 갖고 가버렸어!

그게 없으면 이기지 못해.

아까 그 자신감은 어디 갔냐!

맞아죽기 전에 사과를 해야지.

역시 넌 당하고 살 수밖에 없어.

퉁퉁인 감기 걸려서 앓아 누웠어.

재난 훈련기

집 잘 봐라.

예, 다녀 오세요.

손님이 오시기로 했으니까, 나가면 안 돼.

엄마 금방 올 테니까.

예.

십분후.

놀러가고 싶어졌어.

아~, 따분해.

재미있는 일 없나.

태풍이다!

집이 무너진다!

콧바람도 안 났다구.

뭐어?!

네 짓이지!

심심하다고 했잖아.

자, 재난 훈련기.

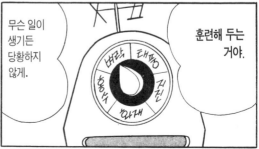

무슨 일이 생기든 당황하지 않게.

훈련해 두는 거야.

눈금을 화재에 맞춰두면 정말 불이 난 것처럼 보여.

시험해 보자.

눈금을 마구 돌려두자.

언제 무슨 일이 생길지 몰라.

스릴 있는걸.

아직 잠잠해.

언제 시작 될까?

기계한테 물어보자.

1분 뒤인지 1년 뒤인지 나도 몰라.

뭣.

난 놀러나 갈래.

질렸어.

손님은 어떡하고!

실례합니다.

기다렸어요.

어서 들어 가세요.

오신 김에 집 좀 봐주세요.

사이좋게 껌

어째 요즘…,

간식이
썰렁한걸.

땅콩 한접시라…,
우리가 새냐.

군것질 많이 하면
몸에 나빠.

라고 말하지만,

81

사실은
돈 때문일 거야.

서글프다.

놀자.

안 돼. 집에 가는 중이야.

그럼 너희집에서 놀지 뭐.

오지 마!

엄마가 메론 사오셨는데,

너희들이 오면 조금밖에 못 먹잖아.

메론이라고….

부러워~.

따라가 보자.

뭐?

훔쳐 보게.

창피하게 무슨 짓이야.

그래도 안 줄거야!

메론을 먹기 전에…,

이 껌 좀 먹을래?

단 1/3만.

공짜니까 먹어주지.

나머지를 반씩 나눠 먹자.

이건 말야.

'사이좋게 껌' 이야.

비실이가 메론을 먹으면,

그 맛이 우리 입으로도 전해져.

정말이네!

우와 이 달콤한 메론 맛!

부드럽고 달콤한 이 맛.

향기롭기까지
해.

맛있긴
한데…,

맛이
옅어진 것
같아.

보통때의
1/3
정도로.

우와,
맛있어.

배도 부른 것
같은걸.

껌 좀
더주라.

뭐하게?

애들한테 반씩
먹여야지.

오늘 간식은
뭐야?

음-,
케익이라던데.

아
자
!

이 껌 먹어라,
응.

떡볶기일
걸.

좋았어.
껌 먹어.

너도 줄게.

너도.

너도.

빠짐없이
다 돌렸으니까,

?

준비 끝.

이제 요것조것
먹어 볼까나.

웬일이야.
저 녀석이 껌을
주다니.

침이라도
발라 놓은 거
아냐?

오, 케익 맛이
느껴진다.

이슬이가
먹고 있나 봐.

85

떡볶이도
좋지.

붕어
빵인가?

좋아,
좋아.

앗,
뜨거!

누구야?
라면을
식히지도 않고
먹는 놈이.

바나나랑
소프트 크림.

하～,
이젠 배부르네.

미안하구나
진구야.

간식이라고 맨날
변변치 않아
특별히 케익
만들었어.

우엑!

기껏
만들었더니!

나중에 꼭
먹을게요.

또 누가 뭘
먹는 거야.

그만
먹어라
이 먹보야!

?!

뭐, 뭐야?
이건.

썩은
고기 같아.

최면 안경

팔이 무거워
진다…,
무거워진다
….

무거워서 점점
내려간다.

당신은
막대기가
되었다.

올라서도
꿈적도
안 한다.

89

예쁜 나비들이
날아 다닌다.

어서
잡아지.

당신은 애기가
되었어요.

최면술이란
굉장하구나.

나도 해보고 싶어.

꿈도 야무지다.

뭐야?

팔을 펴봐.

자, 무거워 진다. 무거워 진다….

무겁지도 않고 그렇다고 가볍지도 않고….

우웃 무거워!

무거워서 점점 내려가.

여기는 바다다.

자, 헤엄쳐.

옳지. 옳지.

어푸어푸.

놀고들 있네.

쯔쯔…. 걸린 척하면 될 것을.

멍청한 놈.

거기 있었구나!

제발 때리지 마.

…내가 왜 때려.

벌써 걸렸네!

퉁퉁이는 상냥한 여자애다.

호호호.

난 여자애야.

같이 하자.

얼랄라!

와앗. 또 왔어.

넌 개다!

무슨 짓이야!

끼잉 끼잉.

우엑.

최면술에 걸린 거야.

귀 좀 이리 줘 봐.

이번엔 새가 되어,

멀리 날아가 버려라.

오잉 안 걸리네!

도라에몽~!

대책이 안 서.

그렇지!

나 자신한테 걸면 돼.

덤벼라!

최면술로 씨름선수가 됐지롱.

어? 별난 안경이네.

마치 부엉이 같은걸.

부엉이….

아빠는 어딜 가신 거지?

부─ 부─.

방송국을 만들자

빠르릉 ··!!

갑자기 무슨 일인데?

설명할 틈이 없어. 대사건이니까 빨리 우리 집으로 뛰어 와!

왜 그래?

나도 몰라.

앗, 이슬이도?

진구도.

얼라, 모두들 오네.

빨리!

시간이 없어!

꾸물대지 말고···.

휴···.

늦을까봐 땀뺐네.

무슨 일인데 그래?

무지 좋은 일.

뭐, 이 프로에?

네가 나온다고?

그럼!

신청자가 많아서, 하늘의 별따기야.

응모자를 모아서 예선을 하는데, 뽑힌 사람만 나갈 수 있어.

전국에 방송 된다구. 노래도 잘해야 하고 얼굴도 따라줘야지….

자, 다음 순서는 김경수씨.

조용히! 한눈 팔지 말고 잘 봐.

네가 더 시끄럽다.

너무 부러워들 마셔. 너희도 기회가 올지 혹시 아냐.

알프스의 소녀～.

97

사인 안 필요하냐? 해줄게.

됐네!

부럽긴 개코가 부럽냐!

그까짓 TV에 나온 것 갖고

난 나오라고 빌어도 안 나간다.

그래, 그래.

어서 와.

뭐 쓰니?

알 것 없어.

참프방송국 TV 어린이 노래자랑

어머.

얼라.

98

저렇게 라이벌이 많으니, 한장 갖고는 어림없겠어.

얘가, 그 많은 엽서를 뭐하게

필요해요.

그렇게 TV에 나가고 싶니?

응….

자, 아무 노래나 불러 봐.

미쳤나 TV 앞에서 혼자 북치고 장구치게!

빨리.

올챙이 학교는 냇물 속에~.

하아~ 한심해.

진구야, 친구들이 잔뜩….

네가 나온 프로 이름이 뭐냐?

내가?

TV에 나왔다고라?

너 진짜 왕음치더라.

채널을 돌려도, 전원을 꺼도

진구, 네 얼굴만 나오던걸.

알겠니? 그 안테나를 달면 TV가 TV카메라와 방송국이 되는 거야. 지금은 이 동네에만 나오지만 곧 전국으로 나가.

그럼 어떤 프로라도 방송되는 거야?

다다다다다

잠깐 기다려!

떼거지로 나가면 누가 보겠니?

사장이랑 방송 시간표를 짤 테니까.

흠! 내가 사장이야.

출연 차례가 되면 부르러 갈 테니까 기다려.

프로를 정하자.

재미있는 프로를 내보내야 해.

역시 쇼프로가 최고야. 드라마는 만들 수가 없으니까…,

만담이나 코메디 같은 거….

뉴스랑 교육프로도

퀴즈는 좋겠어.

엄마들을 위한 요리프로도 좋을 거야.

딩! 동당

뉴스를 말씀드리겠습니다.

여러분! 히히히…, 나야 나, 잘 보이냐?

어디… 대통령이 국회에서… 을… 이….

한문 투성인걸.

전화가 빗발치고 있어.

신문은 집에도 있다고.

뉴스를 마칩니다.

다음은 기다리고 기다리던 진구의 원맨쇼!

멋진 노래와 장기자랑을 마음껏 즐기십시오.

올챙이의 학교는~ 악~.

항의 전화! 네 얼굴에 질렸다.

치사해서 관둔다!

다음은 요리시간이야.

뭔데?

빨리 오세요.

요리 선생님을 소개합니다.

저녁 반찬에 대한 요리법을 설명해 주시죠.

인스턴트 고로케에 점심에 먹다 남은 밥이랑, 어제 산 참치 통조림….

엥? 이 TV가 카메라가 되어 이 동네에 방송된다고…!

동네창피 다 떨었네!

다음 프로 게스트를 불러 와.

얼떨결에 시간이 비었걸랑요..

잠시만 시선을 그대로 모아주세요

그 사이에 내가 노래 부를게.

잠시만 시청을 그대 멈추어주세요

순서가 되면 부를 테니, 기다리고 있어.

날 내보내 주는 거야?

야, 기다렸어.

멋지게 한 곡 뽑아야지.

무슨 소리 넌 교육프로야.

넌 똑똑하니까 오늘 숙제를 풀어줘.

흐흥. 싫으면 관두셔.

여러분 정말 똑똑한 산수 선생님입니다.

그럼 첫번째 문제는….

살이 되고 피가 되는 프로야.

너랑 프로레슬링 하는거 중계하자.

자꾸 설치면 안 내보내 줄 거야.

여기가 방송국 입니까?

시청률이 좋군요.

백퍼센트 예요.

예? 광고를 하고 싶다구요?

한번에 만원이면 될까요?

좋고 말구요!

얼마든지.

우리 방송에 선전하면 손님이 많이 올 거예요.

제작도 부탁할게.

당장 시작하죠. 도라미. 세트를 만들어 줘.

내 차례는 아직이니?

마침 잘왔어.

바이올린 독주를 할 거야.

그런 것보다 CF모델 안 할래?

와ー, 재미있겠다. 할게!

예쁜 탤런트를 찾았어요.

흡족한 표정으로 물속에.

'목욕은 장수탕'이라고 하면 돼.

싫으면 안 하면 될 거 아냐. 아얏, 때리지 마.

오늘 숙제를 마치겠습니다.

목욕탕은 장수탕.

장수탕 제공 이었습니다.

꼭 저를, 스폰서로 해주세요.

빵집 아저씨야.

이 빵이 얼마나 맛있는가 하는 선전을 하고 싶어요.

그러죠.

내가 무지 맛있게 먹어 볼게요.

광고는 내 깜짝쇼 다음에 하죠.

다음은 가요쇼 인데요?!

돈줄은 나라구.

니나노오~.

돈이 웬수다.

광고 연습이나 해둘까?

쩝쩝쩝

맛있어.

입을 더 크게 벌려야 맛있게 보이겠지.

이것도 쩝쩝, 어려운걸. 꿀꺽, 더 연습해야지.

당장 때려 치우 라구?

그 사람은 스폰서라 못 말려요.

옛날에 썰렁이가 살았는데.

웬 썰렁.

꺼억. 더는 못 먹겠어.

전화통에 불이….

이제와서 어쩌라구?!

저…, 다음 주에 계속 하시는게….

그럴까? 그럼 광고는.

배 터지겠네.

달고나 빵집은…

정말이지 …,

꺽

못 먹겠어.

우엑

뇌물 작전

우리 퉁퉁이 팀의 전력은 바닥이야.

이대로는 이번 시즌에서 꼴찌할 게 뻔해!

지금부터 2군제도를 실시 하겠다!

성적이 나쁜 녀석은 모조리 2군으로 떨어뜨릴 거야.

2군 선수는 시합에도 안 내보내고,

공만 주워야 해.

그리고 쓸만한 선수가 있으면 모두 데려와. 선수를 교체할 테니까.

111

해산!

세상에 …

해도 해도 너무해!

못한다고 시합에 안 내보내면

언제 실력이 좋아지냐 이거야!

영원히 야구를 못할지도 몰라.

퉁퉁이 녀석은 승부에 너무 집착해.

진정한 스포츠를 모르는, 그런 녀석은 감독 자격이 없어!

하나 물어 보겠는데,

어째서 네가 2군으로 떨어질 게 뻔하다는 거야?

그야 내가 제일 못하니까.

그러니까 한심하다는 거야!

잘해볼 노력은 왜 안 해!!

일류 선수가 되어 팀을 이끌어야지 하는 생각을 왜 안 해!

고마워! 그 말이 날 눈뜨게 했어.

난 할 수 있어!

알아줘서 고마워.

매일 늦게까지 연습해서,

승리의 영과을 안을 거야!

흠, 어딜!

공부가 더 중요해.

이건 당분간 내가 맡아두마.

보나마나 2군이야.

이제 다시는 야구를 못 할 거야!

뭔가 나올 때다 싶었어.

그렇게 좋은 물건은 아니지만….

뇌물

그걸 주고 부탁하면, 거절을 못 할 거야.

절대로 못 줘!

그게 뭐니.

일단 받으세요.

이렇게 좋은 걸 받아도 될까 몰라.

걱정 말고 배트랑 공 주세요.

그런데 이거 뭐 하는 데 쓰는 거니?

곰곰이 생각해 보세요.

어디로 던지는 거야?

이런 공도 못 받냐.

더 뛰어 멍청아!

그래서는 아웃이야. 아웃!

지금 누구 약올리냐.

그치만 너처럼 못하는 애는 처음 본다.

꺼져!

혼자서 잘해보셔.

맞았다!

오잉?

그건 내가 던진 거야.

어때? 내 사촌 동생의 실력이.

좋았어!

꼭 우리 팀에서 뛰어줘.

좋아.

이제야 앞길이 트이는군.

빨랑 가서 선수명단을 짜야지.

명선수를 소개했으니 날 2군으로 보내기 없기다.

그래, 그래.

난 끝났어.

아니지!

너무해!

물어보나마나 넌 2군이야.

어쨌든 받아줘.

뭐냐? 그 지저분한 건.

시끄러!

감독인 내 맘이야!

아무래도 이상해.

질 게 뻔해.

이런 게 떨어져 있었어.

확인증

뇌물 1개

분명히 받았음

뚱뚱이가 진구에게

역시 냄새가 나!

설명을 해 줘.

몰라!

기억 안 나!

잊어버렸어.

진구는 머리가 아파서 못 나온댄다.

꾀병일 거야.

치사한 놈!

진실을 밝혀라!

난리가 났네.

근데

너, 진짜로 양심에 안 찔리나?

너까지
그런 말을
하다니!

길고 짧은 건 대봐야지.
혹시 아냐.
홈런이라도 칠지.

하늘이
두쪽 나도
그런 일은
없을걸.

두고 봐!
내일 대활약을
해줄 테니까!

하필이면
비가 오냐.

시합은
못 하지?

뇌물을 받고 해준
약속은 꼭 지켜야 해.

열심히 해서
활약해 주렴.

누가 뭐라든 난 너한테
야구를 시킬 거야.

미리미리 안테나

하늘에서
뭐가 떨어지길래,

뭔가 싶어,

보고
있자니.

졌다, 졌어.

연구대상이야
....

뭐가
떨어지면,

피하든가 받는가 해야
정상 아니냐?!

뒷북 쳐봤자 헛거야
미리 생각해야지.

넘어지기 전에
일어서든가,

떨어지기
전에
줍든가,

넌 왜 허구헌날
그 꼴이냐?

둔해.

듣자 듣자 하니, 말만 번지르르 하게 하네.

내가 신도 아닌데, 어떻게 앞의 일을 아냐, 앙! 할 수 있어.

이걸 쓰면.

미리미리 안테나.

이걸 붙이면 일이 생기기 전에 미리….

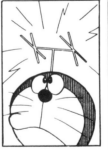

뭔가가 일어난다!

뭐, 뭔데? 좋은 일 나쁜 일? 그것까진 몰라.

몸이 저절로 ….

베개는 뭐하러 꺼내냐?

잘 모르겠지만

곧 이게 도움이 될 거야.

도라에몽.

정신차려.

봤지? 안테나의 효과를.

베개 덕분에 머리를 안 부딪혔어.

쳇, 별로 신통하지도 않네.

배부른 소리말고 써 봐.

진구야!

왜요?
엄마.

껌을?

씹어서?

둥글게 만든
다음…?

귀에 막는 거야?

내가 뭘 하고
있지?!

거기에 앉아.

맨날 야단 맞으니까
이골이 났나 봐.

하나도 안 들리니까
지겹지도
않더라.

124

뭔가 준비해서 나갈려나 봐.

망원경, 바지, 상자.

어째서 이런 걸,

갖고 나가야 한담?!

모르긴 해도,

안테나가 시키는대로 하는 게 좋을걸요.

무슨 일이 생길지,

찜찜하네.

어머.

어찌된 일이우.

다행히 갈아입을 옷이
있어서….

실례
합니다.

여전하시군요.
선생님.

불이야.
멀리 연기가
나는군.

어,
어디요?

정말이네.

잘 갖고 왔군.

늘 갖고
다니는 감?

아, 아뇨.
그게 아니라….

아구~
그 귀한 걸.

집에서 만든
만두예요.

와 – 맛있어.

입에서 살살 녹네요.

그러면 좀 싸갈라우?

아이구 그러실 것까지는….

자넨 정말 준비성이 좋구만.

전부 다 도움이 됐다면서 왜 화나셨어요?

난 이 안테나 안 쓸란다.

뭐든지 핸드백

학교에서
꾸중들었지?

어떻게
아셨어요?

책이랑 공책 죄다
두고 갔잖아.

집에 오면
내일 준비물부터
챙기랬잖니.

아참～,
가방을 학교에
두고왔네!

건망증 고치는
약은 없나?

약은 없지만,

뭐든좋아.

도라에몽 11

131

학교에 두고 온
가방이….

나왔다.

애들한테 자랑해야지

얼레리 꼴레리.
진구는 핸드백 들고 다닌데요.

뭐, 굉장한 미술을 보여
주겠다고?

뭐든지 나와.

에헴. 먼저 간식이라도
꺼내볼까?

까아!

귀신
이다!

아얏.

맞았어.

시~ 이번엔
엄마 안경을.

어머머!

어때
굉장하지?!

핸드백에서 물건이
나오는 건
당연하지.

마술이라면 더 신기한 걸
꺼내봐.

좋아,
그렇다면~.

이게 뭔지 아냐?

어디서 많이
보던 건데….

읽어
주지.

5월 3일.
오늘도 거울을 보았다.
난 왜 이렇게
잘 생겼을까.

두고 왔나 봐.

핸드백이 있으니까
걱정 마세요.

자요.

또 장난질이니?
요녀석.

이게 있으면
어디로 도망가든….

진구야.

편리한 백이네.
당분간 빌려주렴.

몸의 부품을 바꾸자

기계가 커서
집안에선 못 해.

인체 교체기.

다른 사람이랑 몸의 부품을
바꿀 수 있어.

아주 잠깐만
내 머리랑 바꾸자.

하는 짓 하고는….

평생 소원이야.
똑똑한 머리를
갖고 싶어!

둘 다 캡슐로
들어가.

머리 버튼을
누른다.

됐다!
나와도 돼.

와.
이제 슬슬
숙제를….

빨리 가서
TV 봐야해.

얼라?

아얏.

머리를
바꾼다는 건,

결국 사람도 바뀌게
되는 거잖아!

가지 마.
다시 바꿔!

소용 없어.

몇번을 해도
마찬가지야.

기발한
생각인 줄
알았는데.

힝～.
이 꼴이 뭐람.

이슬이가
더 싫겠지.

곧 다시
바꾸러
올 거야.

음큼하게
어딜 보나?

아, 아니
실은 전부터

남몰래
꿈꿔오던 것이
있걸랑.

뭐,
이 다리를
빌려
달라고!

난
숏다리잖아.

단 한번이라도
쫙빠진
롱다리
가….

내 몸도 아닌데
함부로 빌려주면
이슬이가 화낼 거야.

금방
돌려 줄게.

롱다리로 뛸 때의
스피드감을
느껴보고,

금방 바꾸면
되잖아.

다리의 단추를….

오오,
이 감격!

기념으로 이 멋진 모습을
찍어 둬야지.

도라에몽~
빨리 와야돼.

또 무슨
꿍꿍이냐?

뭐!
인체 교체기?

나도 전부터
꿈이 있어.

가늘고 긴 손가락이
갖고 싶어.

이 팔을 나랑
바꿔주라, 응?!

안 된다니까.

네 몸도 아니면서 왜 튕겨.

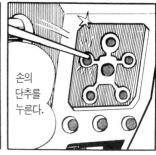

손의 단추를 누른다.

어머…

나한테 너무 어울려.

예술가의 손이야.

다 들었어!

내 꿈도 들어주라.

한번이라도 날씬해지고 싶어….

나만 왜 안 된다는 거야, 앙!

멋져!

이 가벼운 몸,

자동판매 타임머신

문 닫았어요.

근데 뭐가 그렇게 좋으냐?

멍청한 녀석 옆에 자동판매기 있잖아.

도라에몽한테 시켜야지.

나갔나 보네.

쯔쯔쯔. 또 이런 걸 내팽겨 두고 갔네.

1 9 3 3

이게 뭐지?

자동판매기 같은데…,

뭐가 나오는 거지?

146

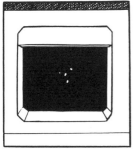

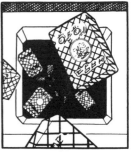

이게 뭐야?!

이런 담배가 어딨냐?

환희라고 써 있네!

새로 나온 담밴가?!

그나저나,

오백원에 이렇게 많이 주니?

나한테 물어봤지,

몰라요.

담배 판매기였나봐.

아니지… 도라에몽이 꺼내놓은 거라면,

평범한 기계가 아닐 거야.

가령 뭐든지 나온다든가.

잉크가 떨어졌어. 빨리 가서 사와.

2백 50원 넣고, 다이얼을 대충 돌리면,

이번엔 잉크가 필요해.

잉크다. 잉크.

못보던
잉크네.

한 개에
삼십원?

도대체 어떻게
이걸….

몰라요.
몰라.

호오!
정겹구만.

이건 담배가 처음 나오던 때 거야.
아마 1갑에 10원이었지.

예에?
그래요?

앗앗다!!

그 자동판매기는
일종의 타임머신이야!

옛날에
물가가 싸던
시대에서,

물건을 사오는
거야!

149

이 돈으로 카메라를 살 수 있을지도 몰라.

옛날일수록 싸니까, 아주 먼 옛날로 하자.

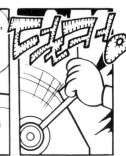

...안 나오네!

돈이 모자라나?

뭐야.

이백원이나 넣었는데, 모자랄 리가 없잖아!

망했다!

돈 내놔!

뭐, 카메라가 안 나온다고?

이게 뭐야.

0 7 4 1

신라시대에 카메라가 어디 있나?

너무 옛날이라도 안 되는 거구나.

돈이 얼마나 남았니? 25원? 그럼 이쯤이면 살 수 있겠지.

1 9 2 5

이야아.

귀한 카메라구나.

베스트 판이야.

이 모델의 필름은 이제 안 나와.

옛.

이럴 수가 있는 거야!

필름이 없으면 허탕이잖아.

이 판매기를 쓰다보면 이런 일도 생기는 법이지.

그걸로 원하는 건 뭐든 사도 좋지만,

돈벌이에 이용하면 안 돼.

돈벌이?

151

이걸로 돈을 벌어서, 그 돈으로 신형 카메라를 사는 거야.

뭐, 과자랑 학용품을?

반값으로 사주겠다고?

그 대신 선불이야.

디자인은 나쁘지만,

싸다야.

연필은 한자루에 10원이냐?

애들 좋고, 나 좋고 완전히 꿩먹고 알먹고네.

잘만 하면 억만장자가 되겠어.

축하 해야지.

판매기로 맛있는 거 사먹자.

이왕이면 못 먹어 보던 걸로 할까?

그래! 타임머신이라면 미래의 물건도 나오겠지?!

화석 대발견

저기 한심한 사람이
또 있네.

괜히 힘빼지 말고
그만두세요.

만우절이라
속은 거라구요.

예. 화석을
캔다구요?

있어요?

내 감이 틀리지만
않다면,

어떠냐!
보물찾기
보다
재미있지.

그렇게
마구잡이로
파면
어떡하나!

귀중한 화석이
다치면 어쩔려고.

씨,
잘난척
하긴.

성질이 고약한
할아버지네.

점심 안 먹고
어디 갔었니.

생각할수록
열받네.

나도 누구든
속이고 싶어.

!

…어때!

재미
있겠다!

이것도… 히!

생선뼈랑 조개껍데기를
땅에 묻고…,

타임보자기를
씌우면…,

눈깜짝할 새에
몇억년이 흐른단 말씀.

와! 화석이
만들어졌다!

아직도 있어.

전혀 안 나오네.

내 감이 틀렸나?

할아버지.

또 방해하러 왔냐!

저기서 이상한 돌을 팠걸랑요. 자요!

엥?

대발견 이다!

그렇게 대단한 건가요?

말하면 숨차지.

화석이란 몇억년 전의 생물의 모습이야.

그러니까 생선도 조개도 아직 진화하지 않은 원시적인 형태거든.

근데 이건 요즘 생선이랑 조개랑 똑같아!

이런 화석은 세계 최초야!

그거야 당연하죠! 그건 점심에 먹던….

쉿.

따악~
따악~

나도 찾고 말 테다!

푸하하하.

낄낄낄.

배꼽 빠질 뻔 했네.

더 끝내주는 화석을 만들자.

그건 너무했다. 금방 들킬 거야.

쓰레기장

끝에 가서 만우절이라고 말하면 되잖아.

그래, 좋았어.

몽땅 화석으로 만들자.

어? 없잖아.

도구가 있으니 금방 오겠지.

이쯤에다 묻어 두자.

삭

삭

저기야. 화석이 나온 곳이.

오랫동안 고생한 보람이 있군요. 아빠.

저 애들이 찾아줬다.

고마워.

정말 고마워.

꽉

아빠는 어릴 때부터 고생물학자가 되는 게 꿈이셨어.

그런데 집안 사정으로 못 하시다가

나이가 드셔서 겨우 좋아하는 연구를 하시게 돼서,

그만큼 오늘의 발견이 기쁜 거야.

뭐하고 있냐.

어서 발굴을 도우렴.

예, 아빠.

어떡하지! 빨리 고백하고 용서 빌자.

난 못 해! 네가 해.

그, 그럼 하나, 둘, 셋에 같이…

저기….

시, 실은요….

왜 그러니?

또 대발견이야! 애야, 빨리 빨리!

잠깐만요!

믿기지가 않아!
우째 이런 일이.

보거라!
이건 분명히
사과 속이야!

그게 뭐가
대발견이
에요?

사과는 외국에서
근대에 들어 온
식물이야.

그런데 이 화석을 보면
고대에 우리나라에 사과가
있었다는 얘기가 돼!

아니,
그건….

더구나
이걸 봐라.

저,
그건.

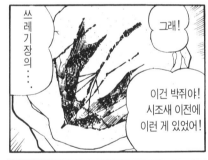

쓰레기장의….

그래!

이건 박쥐야!
시조새 이전에
이런 게 있었어!

캔 주스
깡통
이에요.

아니, 조개의
일종이야.

먼지털이
예요.

거대한
해류야.

제발 좀 들어
주세요.

이걸 발표하면
세계의 고생물학계가
뒤집힐 거야!

축하해요. 아빠.

고맙구나. 얘야.

뭐! 만우절!

그, 그럴 리가….

정말이에요.

타임보자기로 원래대로 해볼게요.

정신 차리세요!

163

뭐야,
삼엽충인가?!

삼엽충?

얘들아
기다려.

와앗,
용서해
주세
요.

이건 어떻게
만들었냐?

그런 걸
어떻게 만들어요.

그렇다면?

섞여있던 진짜 화석이
타임보자기로
복원된 거야!

이건 신종이야.
세계 어디에서도 이런 모양의
삼엽충은 발견되지 않았어!

세기의
대발견이야!

게다가
살아
움직이고
있어!

164

퉁퉁이의 진정한 친구

뭐어?

폭탄 내놔!

도라에몽~.

툽퉁이 자식한테 맞아서 죽고 말 거야.

그만 진정해.

그녀석은 내 얼굴만 보면 무작정 팬단 말야.

분한 마음은 잘 알지만 복수했다가

또 배로 복수 당할 거야.

그것보다도….

널 괴롭힐 때마다 친절하게 해주면 어떨까?

내가 약 먹었나!

그러다보면 분명히 네 진심이 통해 사이가 좋아질 거야.

잘 될런가 몰라.

퉁퉁아.

맞았다고 분풀이 하러 왔냐!

이게 뭐냐?

넌 가수가 되는 게 꿈이잖아.

아, 아니. 너한테 좋은 걸 줄까 해서….

그래!

한장이라도 좋으니까 레코드를 내는 게 내 꿈이야!

아무리 들어도 역겨워.

다 됐어.

퉁퉁이 레코드

소년의 꿈.

이, 이게 내가 방금 부른 노래라는 거야?

응. 레코드로 만든 거야.

틀어 보자.

음….

역시 내 노래는 가슴이 찡해.

몇 장이라도 복사할 수 있어.

자켓도 만들어 줄게.

퉁퉁이 레코드 소년의 꿈

지금 이 순간부터 넌 나의 진정한 친구야!

퉁퉁아!

이제 발 뻗고 살 수 있겠지.

169

대형 신안가수 탄생!!

퉁퉁이의 레코드 절찬리에 판매중!!

자, 어서 오세요.

그쪽으로 안 가는 게 좋아.

뭐, 퉁퉁이가 레코드를?

어머, 어떡하나?

그런 걸 살 돈이 있으면 개나 주겠다.

돌아서 가자.

이상하네. 강아지 한마리 안 지나가다니.

마주치지 않는 게 좋아.

조심 해야지.

이 녀석들!

레코드 냈다며, 진작에 말하지 그랬니.

미안, 미안 다음부터는 꼭 전화할게.

폭발적인 인기로구만.

내 노래가 이렇게 인기일 줄은 생각도 못 했어.

이제 온 동네에 내 노래가 흐르….

…지가 않네.

야, 레코드 들었나?

물론 들었지. 레코드가 닳을 정도로 들었어.

그럼 첫 부분만 불러봐.

헉.

이 자식이!

아아~

볼륨을 더 높여.

오오.
대 히트로군.

진정한
친구여.

이제 방송출연도
결코 꿈이 아니야.

나도
기뻐.

저렇게 좋아하는
걸 보니,
기분이 나쁘진
않군.

잘
대해주길
잘한 것
같아.

야, 얘들아.

왜, 왜 그래.
잡아먹을 듯이….

도라에몽,
폭탄 스무개 줘잉.

172

도라에몽 대사전

내 비밀을 여러분에게 공개합니다!

적외선 눈
밤에도 볼 수 있다.

강력코
인간의 코보다 20배의
냄새까지 맡을 수 있지만
지금은 고장났다.

신장 : 129.3cm
체중 : 129.3kg
가슴둘레 : 129.3cm

레이더 수염
멀리 있는 것을 찾는다.
지금은 조금 맛이 갔다.

하마입
세수대야가 그대로
쏙 들어간다.

끈끈이 손
뭐든지
끌어 당긴다.

원자로
무엇을 먹어도
원자력 에너지가 된다.

고양이 방울
지금은 조금 맛이 갔다.

4차원 주머니
속은 4차원으로 되어 있어
얼마든지 넣을 수 있다.

꼬리
스위치 역할을 한다.
당기면 모든 기능이
정지함.

마당발
고양이처럼 살금살금
걸을 수 있다.
하지만 지금은 망가졌다.

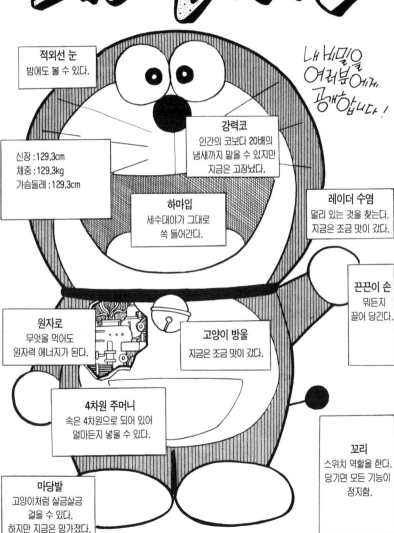

도라에몽 추억의 앨범

나한테도 이런 때가 있었다니 그리운걸.

도라에몽이 나한테 오기 전에 앨범이네.

로보트 공장에서 태어나다. 2112년 9월 3일

①

집으로 오다. 진구의 손자의 손자 똘똘이의 2115년 1월 19일

②

③

평화로운 낮잠의 한때 2112년 8월 30일

④

그녀가 병문안을 와 주었다. 2122년 9월 2일

⑤

천천히 봐.

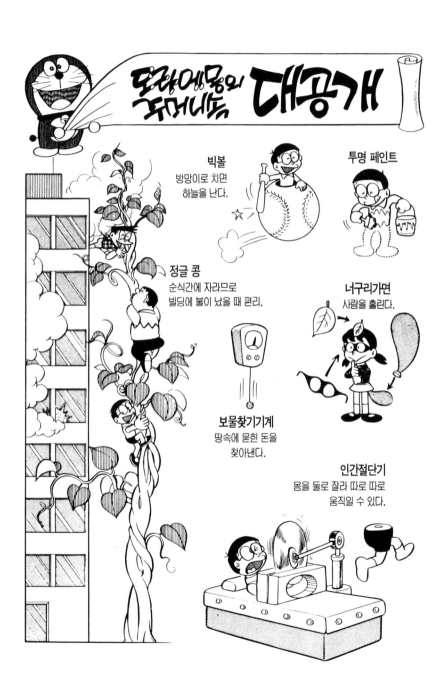

도라에몽의 주머니 속 대공개

빅볼
방망이로 치면
하늘을 난다.

투명 페인트

정글 콩
순식간에 자라므로
빌딩에 불이 났을 때 편리.

너구리가면
사람을 홀린다.

보물찾기기계
땅속에 묻힌 돈을
찾아낸다.

인간절단기
몸을 둘로 잘라 따로 따로
움직일 수 있다.

코끼리표 립스틱
윗입술이 코끼리처럼 늘어난다.

아파트 나무
뿌리가 방이 된다.

미니 머리
손발에 붙이면 자면서도 움직일 수 있다.

산 메아리
몇시간 전의 목소리가 메아리가 되어 돌아온다.

튀는 구멍
빠지는 구멍과 반대.

곤충안경
비춰진 물건이 정말 커진다.

운반화살

부르면 목걸이
부르면 어디에 있든지 오게 된다.

사이보그 세트
악세사리를 바꾸어 여러가지 모양으로 변신할 수 있다.

원격조정 고기잡이배
레이다로 물고기를 찾아내 쫓아간다.

수중 불꽃놀이
절대로 안전함.

불꽃놀이 꽃
씨를 뿌려두면 밤에 핀다.

수박 빨대
속만 빨아먹을 수 있다.

풀장옷
물이 들어 있어 시원하다.

식용 튜브
배 속에서 부풀어 오른다.

가짜여행 사진기
엽서와 함께 찍으면 가지 않은 장소의 사진이 찍혀 나온다.

펌프달린 팬티
장난감 개구리처럼 헤엄칠 수 있다.

생선동력 보트

**마술
그물 침대**
파리를 불면
늘어난다.

날개모자

사면텐트
잠버릇이 나쁜
사람한테 최고.

스릴 향
온몸의 힘이
빠지고
오싹해진다.

정상바꾸기
등산을 하던 중에 지치면
그 장소를
정상으로 만들어
준다.

타임 자동 판매기
물가가 싼 시대에서
물건을 살 수 있다.
가령 백원에
연필 25자루.

매직핸드
익숙하지 않으면
꽤 어렵다.

하늘을 나는 꼬리표
받는 사람을 쓰면
헬리콥터처럼
날아간다.

별똥별 망치
때리면 별이
나오는데
그 별에 소원을
빌 수 있다.

꿈안경
다른 사람의 꿈을
볼 수 있다.

변명털
실패했을 때
이 털을 머리에 붙이면
능숙하게 변명을
하게 된다.

명중총
공에 눈이 달려 있어
기필코 명중한다.

인스턴트 진주
이 속에
넣으면
진주가 된다.

징벌 밴드
금지된 짓을 하면
머리가 조여진다.

매직 지퍼
어디서라도 열린다.

공기 크레파스
공중에 낙서를
할 수 있다.

딸꾹질 멈춤 상자
상자를 여는 사람이
가장 싫어하는 것이
나온다.

찰흙
찰흙처럼
흐늘흐늘해진다.

아주 손쉽게 땅속을
파나갈 수 있다.

여행지도
가고 싶은 곳에
표시를 하고 휘감으면
어디든 갈 수 있다.

독심 돋보기
(마음을 읽는 돋보기)
다른 사람의 생각이
보인다.

멜로디 올챙이
헤엄치게 두면
아름다운 멜로디를 만든다.

인간 배드민턴
원격조정으로
라켓을 조정한다.
잘못하면 떨어진다.

저절로 국기
국경일등의
날이 되면
국기가 저절로
올라간다.

미로 마블
졸처럼
종점까지
갈 수 없어,
하루종일
놀 수가 있다.

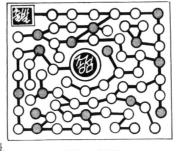

대나무 솔
봄에 심으면
자란다.

세뱃돈 저금통
누구든지 세뱃돈을
이 저금통에
저금하고야 만다.

수술 장갑
이 장갑만 있으면
누구든지
눈, 코 등을
떼어낼 수 있다.

감기 주머니
감기 재채기를
이 안에 하면
감기가 낫는다.

거꾸로 연
사람과 연이
거꾸로 된다.

자동 배드민턴 기계
자동으로 배드민턴
상대가 되어준다.

인간 말
말을 움직이면
사람이 그대로
마을을
돌아다니게
된다.

눈사람 부풀리는 기계

사계절 스키
인공눈을 뿌리면서
미끄러지므로 여름에도
탈 수 있다.

셀프 장기
컴퓨터를 조절해서
강하게도 약하게도
할 수 있다.

원자 공기놀이
전자현미경으로
들여다 보면서
부딪히면서 논다.

손목난로
온몸이
화끈화끈.

꿈 성냥
불이 켜져있는 동안은
환상이 보인다.
성냥팔이 소녀도
갖고 있었다.

Dream

연장 드링크
연장 도구가
필요없다.

너구리 지갑
낙엽을 넣으면
돈으로 변한다.

요술 시계
시간 진행을
빠르게 하던지
느리게
할 수 있다.

가위바위보 상자
절대로 지지 않는다.

칼싸움 칼
과장되게 잘려
나가지만 다시 붙기
때문에 절대 안전하다.

미니 눈구름

로봇 발
이것만 붙이면
무엇이든 스스로
걷기때문에 들고 ㄷ
필요가 없다.

스피드 나사
이걸 몸에 대고 감으면
엄청난 스피드로
움직인다.

돈 벌
돈을 모은다.

간질 벼룩
좀처럼 웃지않는
사람도 바로
웃게 만든다.

꿈 레코더
꿈을
기록한다.

로켓 종이
접은 물건이
움직인다.

튼튼알약
먹으면 몸이 쇠보다
단단해진다.

로켓 껌
먹으면
가스가
나와서….

동물사탕
동물과
똑같은 짓을
할 수 있다.

입체 복사기
위에 눕기만 하면
입체복사가 된다.

안전커버
폭탄이 떨어져도
안심.

영사기
다른 사람 사진에
좋아하는 것을
넣을 수 있다.

도라에몽 11

1996년 1월 30일 초판 1쇄 발행
2001년 11월 20일 2판 1쇄 인쇄
2024년 4월 16일 2판 11쇄 발행

● **저자** : 후지코 · F · 후지오
● **번역** : 박종윤
● **발행인** : 황민호
● **콘텐츠1사업본부장** : 이봉석
● **책임편집** : 정은경
● **발행처** : 대원씨아이(주)

서울특별시 용산구 한강대로 15길 9-12
전화 : 2071-2000 팩스 : 797-1023
1992년 5월 11일 등록 제1992-000026호

·저자와의 협의 아래 인지는 붙이지 않습니다.
·잘못 만들어진 책은 구입하신 곳에서 바꾸어 드립니다.

ISBN 979-11-362-9724-2 07830
ISBN 979-11-362-9713-6 (세트)